Puede consultar nuestro catálogo en www.edicionesobelisco.com / www.picarona.net

¿Un unicornio en una granja?
Texto: *Lucia Emiliani*
Ilustraciones: *Tina Perko*

1.ª edición: mayo de 2016

Título original: *Prišel je samarog*

Traducción: *Joana Delgado*
Maquetación: *Isabel Estrada*
Corrección: *M.ª Ángeles Olivera*

© 2014, Morfem Publishing House,
Primera edición publicada en Eslovenia
© 2016, Ediciones Obelisco, S. L.
(Reservados los derechos para la lengua española)

Edita: Picarona, sello infantil de Ediciones Obelisco, S. L.
Pere IV, 78 (Edif. Pedro IV) 3.ª planta 5.ª puerta
08005 Barcelona - España
Tel. 93 309 85 25 - Fax 93 309 85 23
E-mail: picarona@picarona.net

ISBN: 978-84-16648-06-1
Depósito Legal: B-4.445-2016

Printed in Spain

Impreso en España por ANMAN, Gràfiques del Vallès, S. L.
C/ Llobateres, 16-18, Tallers 7 - Nau 10. Polígono Industrial Santiga.
08210 - Barberà del Vallès (Barcelona)

Texto: Lucia Emiliani • Ilustraciones: Tina Perko

¿UN UNICORNIO

EN UNA GRANJA?

 Picarona

En la pequeña granja de la montaña se había montado un gran revuelo.

—Lo van a traer hoy

dijo con impaciencia Petra, la cerdita barrigona.

—Es **blanco como la nieve** —intervino Gloria, la cabra, con gran entusiasmo.

—Segurísimo que es **blanco como la nieve** —mugió la vaca Katya.

—¡Ya llegan!

—¡Ya llegan!

Gritó Allan, el carnero,
que entró embistiendo
y se unió a los otros animales.

Todos los animales se reunieron alrededor de aquel remolque que acababa de llegar a la granja.
Se apelotonaron, empujaron y zarandearon para ser los primeros en ver al nuevo caballo.

—¡Echaos atrás!

—¡Dejadme sitio! —dijo el granjero Smith con impaciencia.
Pero los animales tenían tanta curiosidad que no se movieron ni un solo milímetro.

—¡Al establo! ¡Inmediatamente! —gritó Smith ya enfadado—. Hoy os iréis a dormir muy pronto.

Los animales, un tanto ofendidos, volvieron lentamente al establo.

—¡Ahhhh! —el granjero se desperezó y luego echó el cerrojo.

—**¿Qué pasa ahí fuera?** —preguntó Peter, el cerdo, a la vaca Katya.

—**¿Puedes ver algo?** —inquirió Allan, el carnero de los cuernos enroscados.

—**¿Cómo es?** —preguntó la cabra Gloria.

—Pues —dijo la vaca Katya—, tiene unas crines largas
y blancas y en el medio de la…

—¡Oooooh! —se oyó exclamar a Gloria, la cabra.

—Si es **alto, esbelto, y blanco como la nieve,** si tiene
unas crines blancas y **un cuerno** en medio, entonces es
que es…

Gloria coceó en el suelo, inquieta.

—¡…un unicornio!

—¿...Un unicornio? Y qué hace un unicornio en nuestra granja? —preguntó Allan, el carnero, gritando. Los animales aguzaron el oído; estaban todos tan quietos que se hubiera podido escuchar cómo caía una aguja sobre la paja.

No se oía nada, como si afuera no hubiera ni un alma.

—Vámonos a dormir —propuso Katya, la vaca, que estaba ya agotada de todo aquel culebrón.

—Mañana lo veremos.

Aquello era fácil de decir, pero muy difícil de hacer. Los animales estuvieron toda la noche agitados, dando vueltas en la cama, y no descansaron nada.

Ninguno de ellos

pudo dormir.

—¡Kikirikiiiiiiiiiii! —cantó el gallo a primera hora de la mañana.

En un santiamén, todos los animales se levantaron.

—¡Ya ha amanecido! —gritaron todos en el establo—. Oigo al granjero Smith que se está poniendo en marcha.

Y justo en ese preciso momento se abrieron las puertas y los animales se encaminaron despacio hacia las cuadras.

—No podemos entrar
—dijo, apenada, la vaca Katya.

—Tú eres la más alta
—intervino Gloria,
la cabra.

Seguro que puedes ver algo.

—¡Eres la
típica cabra!
—le contestó la vaca.

—Puede que sea la más alta, pero aun así mi vista no puede
traspasar la madera.
Pero la cabra Gloria no se inmutó.
—Alguna rendija tiene que haber.
Buscaron y buscaron algún agujerito para poder saciar su curiosidad
pero, «nada, ni una sola rendija».
Al cabo de un rato, se rindieron.

—Ya se sabe que ver un unicornio
es muy difícil
—dijo Gloria balando lastimosamente.

Al otro lado de la puerta…
El caballo Henry también se había
levantado pronto. Deseaba conocer
a sus nuevos amigos
lo más pronto posible.
Pero, ahora,

después de escuchar
lo que decían de él...

—Todo el mundo
nos tendrá envidia
—decía Allan, el carnero.

—¡Un unicornio en la granja Smith!

¡Seremos famosos!

¡Todo el mundo querrá venir a verlo!

—Nunca nos pondremos enfermos; los unicornios pueden curar todas las enfermedades —dijo dichosa la vaca Katya. Henry se acurrucó en la paja.

—¿Creen que soy alto, esbelto y blanco como la nieve, e incluso que tengo un cuerno y poderes mágicos?

Henry miró su porte, tosco y corpulento, y su pardo pelaje.

—¿Y ahora qué hago?

—No va a haber manera de que les guste. Me imaginan **esbelto** y **bello**,
pero sólo soy un vulgar caballo, regordete
y de pelo marrón.

El caballo Henry fingió que estaba enfermo. El granjero se quedó preocupado, pero, al menos, ahora Henry estaba a salvo de la curiosidad de los animales de la granja.

Le entristecía pensar en la decepción que tendrían todos al verlo.

En la granja la vida seguía. La imaginación de los animales había inventado unas cuantas historias sobre el unicornio, y ya ni siquiera deseaban conocerlo.

Como no quería dejarse ver, los animales pensaban de él:

—¡Es un snob!

—¡Es más presumido que un pavo real!

—¡Cree que no somos lo bastante buenos para él!

Una mañana, el granjero Smith
se fue al bosque.

Tenía que talar un árbol muerto para evitar que ocurriera algún accidente, pues podía caer encima de alguien y atraparlo.

—Vamos, Rex —le dijo a su perro—. ¡Nos vamos al bosque!

Pero se hizo muy tarde, no regresaban y los animales empezaron a preocuparse.

—Hace ya mucho tiempo que se han ido —dijo la vaca Katya, mirando hacia el bosque.

—Yo estoy hambriento —intervino Peter, el cerdo.

—Sólo piensas en comer —afirmó la cerda Petra muy enfadada—. ¿Y si les hubiera pasado algo?

—Ay, ¡qué horror! —dijo Peter—. ¿Y quién cuidará de mí?

—…en comer y en ti mismo —corrigió la frase Petra.

—¡Aquí viene Rex! —dijo Gloria, la cabra, que fue la primera en verlo—. ¡Vaya cara trae!

—¡SOCORRO! ¡SOCORRO!

—ladraba Rex.

—¡A Smith se le ha caído el árbol encima!

Los animales salieron corriendo detrás del perro.

Pero cuando llegaron hasta donde estaba el granjero, se dieron cuenta de que no podían ayudarle.

Intentaron una, y otra, y otra vez

retirar aquel grueso tronco, pero ni siquiera tenían fuerza suficiente para moverlo.

Entonces, les sorprendió una voz que decía:

—**Echaos hacia atrás**, voy a intentarlo.

Los animales miraron boquiabiertos a aquel **fuerte** caballo pardo que, sin el menor esfuerzo, retiró el tronco y liberó al señor Smith.

El granjero se incorporó lentamente.

Se montó en el caballo, le dio unas palmaditas y le dijo:

—Sabía que no me había equivocado. Eres un caballo **fuerte** y **resistente**. Venga, vamos a casa.

Todos los animales les siguieron.

—¿Ése es nuestro unicornio? —preguntó la cabra Gloria.

—Es **fuerte** —afirmó Allan, el carnero.

—¡Y **valiente**! —gruñó la cerda Petra.

—¡Y tiene **poderes maravillosos**, unas **crines largas** y **blancas**, y en el medio tiene **un mechón de pelo oscuro**!

—siguió Katya, la vaca, *acabando la frase* que no le habían dejado pronunciar.

El caballo Henry suspiró aliviado.

«Éstos son mis nuevos amigos»,

—pensó alegremente.